STRYD Y BONT

Manon Steffan Ros

Lluniau gan Huw Aaron

Cyhoeddwyd yng Nghymru gan Atebol, Adeiladau'r Fagwyr,
Llandre, Aberystwyth, Ceredigion, SY24 5AQ
www.atebol.com

ISBN 978-1-91-226144-4

Dymuna'r cyhoeddwyr gydnabod cymorth ariannol Cyngor Llyfrau Cymru.
Argraffwyd a rhwymwyd yng Nghymru.

PSYCHO

Rhif 1, Stryd y Bont
Sioned

Dydd Gwener, 6.12pm

Mae Sioned yn cerdded drwy'r drws. Mae Rhif 1, Stryd y Bont yn **dywyll**, ac mae Sioned wedi blino ar ôl diwrnod prysur yn y gwaith. Mae hi'n tynnu ei hesgidiau, ac yn tynnu ei chôt.

'Dewi?' **meddai** Sioned. Dim ateb.

Mae Sioned yn cerdded i'r gegin, ac yn rhoi'r golau ymlaen. Mae popeth fel oedd o yn y bore pan wnaeth Sioned fynd i'r gwaith; y llestri yn y sinc, **briwsion** ar y bwrdd.

'Dewi?' meddai Sioned eto.

Mae Dewi ***i fod*** adre. Mae'n dod adre cyn Sioned bob dydd, yn golchi'r llestri brecwast, ac yn gwneud swper. Weithiau, mae

tywyll – *dark*

meddai – *says, said*

briwsion – *crumbs*

i fod – *supposed to be*

o'n mynd i'r siop neu i'r ganolfan hamdden, ond mae o'n **anfon neges** i Sioned bob tro os ydy o'n hwyr. Mae Sioned yn edrych ar ei ffôn ond does 'na ddim neges. Mae hi'n ffonio Dewi. Mae'r ffôn yn mynd yn syth i'r **peiriant ateb**.

anfon – *to send*

neges – *message*

peiriant ateb – *answering machine*

'Dewi? Fi sy 'ma. Dw i'n poeni – dwyt ti ddim adre! Ffonia fi pan wyt ti'n cael y neges yma, plis?'

Mae Sioned yn meddwl am ffonio ffrindiau a theulu Dewi i ofyn ydyn nhw wedi ei weld o, ond mae hynny'n teimlo'n wirion. Dydy Dewi ddim yn blentyn. Mae Sioned yn poeni gormod. Weithiau, mae Dewi'n dweud wrthi, *Mae'n rhaid i ti stopio poeni* ***o hyd****, cariad. Mae'n wirion.* Ond mae'n anodd i Sioned stopio. Mae hi wedi poeni erioed.

Mae Sioned yn mynd i gael cawod ac i **newid** o'i dillad gwaith. Efallai bydd Dewi wedi cyrraedd **erbyn** iddi **sychu** ei gwallt. Ond na – mae Sioned yn sych, yn **lân**, yn **gwisgo** ei phyjamas, ac mae hi'n 7.37pm a dydy Dewi **dal** ddim adre.

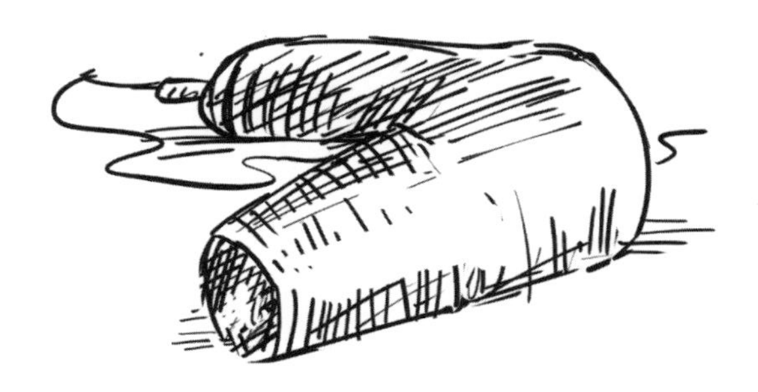

o hyd – *all the time*

newid – *to change*

erbyn – *by (the time)*

sychu – *to dry*

glân – *clean*

gwisgo – *to wear*

dal – *still*

Rhif 2, Stryd y Bont
Elis a Meg

Dydd Gwener, 11.43pm

Mae Elis yn caru ffilmiau.

Dyna mae Elis yn ei wneud drwy'r dydd – gwylio ffilmiau, a weithiau mae'n chwarae gemau. Ei **hoff** ffilmiau ydy'r rhai gyda llawer o **waed** a phobl ddrwg. Mae o wedi gwylio *Psycho* 267 o **weithiau**. Mae'n gwybod pob un gair o'r sgript.

Mae o i fod i edrych **ar ôl** Llew, ei fab, ar ôl iddo fo ddod yn ôl o'r ysgol, ond mae Llew yn hapus iawn i fod ar yr iPad, ac mae o'n mynd i'r gwely am saith. Mae o'n fachgen da iawn.

Heno, mae Elis wedi bod yn gwylio ffilm am ddyn ifanc yn

---

hoff – *favourite*

gwaed – *blood*

gwaith (gweithiau) – *time(s)*

ar ôl – *after*

mynd **ar goll** mewn **coedwig**, a rhywun drwg yn rhedeg **ar ei ôl o**. Dydy'r ffilm ddim yn un dda iawn, ond mae Elis yn ei gwylio hi i gyd, achos does dim byd arall i'w wneud. Mae

ar goll – *lost, missing*

coedwig – *forest, woods*

ar ei ôl o – *after him*

ei lygaid ar y sgrin o hyd. Pan mae Meg yn cyrraedd adre o'r gwaith, mae llygaid Elis yn aros ar y sgrin, a dydy o ddim yn dweud 'helô' nac yn gofyn 'sut wyt ti?'

Mae Meg yn aros yn **dawel** hefyd. Mae hi **wedi blino'n lân** ar ôl gweithio am ddeg awr yn y siop fawr tu allan i'r dref. Wrth gwrs, mae'r tŷ yn **llanast** fel arfer, ac mae Elis wedi bod yn eistedd ar ei **ben-ôl** drwy'r dydd yn gwneud mwy o lanast.

'O, dwyt ti heb olchi'r llestri!' meddai Meg yn flin.

'Mi wna i wneud rŵan,' meddai Elis, ond mae'n aros ar y soffa yn gwylio'r ffilm.

Mae Meg wedi **cael llond bol**. Mae hi'n bedwar deg tri mlwydd oed, ac mae'n teimlo ei bod hi wedi **gwastraffu** ugain mlynedd o'i bywyd yn edrych ar ôl Elis. Dydy o byth yn coginio nac yn glanhau, a dydy o ddim yn edrych ar ôl Llew yn iawn. Dim ond pump oed ydy o, ond mae Llew yn mynd **yn debyg i**'w dad, ac mae hynny'n poeni Meg.

Roedd pethau yn **well** yn y dechrau, ond ar ôl i Elis golli ei swydd yn y ffatri, doedd o ddim yn mynd allan o'r tŷ yn aml iawn. Doedd o ddim wedi **chwilio** am swydd arall.

tawel – *quiet*

wedi blino'n lân – *extremely tired*

llanast – *mess*

pen-ôl – *bum*

cael llond bol – *to be fed up*

gwastraffu – *to waste*

yn debyg i – *like, similar to*

gwell – *better*

chwilio – *to search*

Mae Meg yn glanhau'r tŷ, ac yn rhoi'r **tegell** ymlaen. Mae hi'n golchi llestri wrth y sinc, ac yn edrych allan drwy'r ffenest ar y nos.

Mae Meg wedi cael llond bol.

Yn sydyn, mae golau'n **fflachio**'n las ar hyd Stryd y Bont, a char heddlu yn stopio tu allan i'r tŷ drws nesa. Mae Elis hefyd

tegell – *kettle*

yn sydyn – *suddenly*

fflachio – *to flash*

yn edrych i fyny o'r sgrin.

'Maen nhw'n mynd i Rif 1,' meddai Meg.

Mae Elis yn codi ar ei draed ac yn gwylio. Mae o wedi **dychryn**.

'Be sy'n bod?' meddai Meg.

'Dim byd!' meddai Elis, ond mae 'na rywbeth yn bod, rhywbeth mawr iawn.

---

dychryn – *to be frightened, to frighten*

be sy'n bod? – *what's wrong?*

Rhif 3, Stryd y Bont
Dora

Dydd Sadwrn, 9.17am

Mae Dora'n gwybod beth sydd wedi digwydd i'r dyn ifanc o Rif 1, Stryd y Bont.

Wrth gwrs, dydy hi ddim yn dweud wrth neb. Ond mae hi'n gwybod.

Pan mae'r heddlu'n dod at y drws, mae hi'n gwybod beth i'w wneud.

'Mae'n ddrwg gen i boeni,' meddai'r plismon, un bach ifanc a byr iawn gyda **barf** fach daclus. 'Dim ond isio gofyn ydych chi wedi gweld unrhyw beth **amheus** o gwbl? Wnaeth Dewi Evans, Rhif 1, ddim dod adre o'r gwaith ddoe.'

barf – *beard*

amheus – *suspicious*

‘O!’ meddai Dora. ‘Dewi bach! Dewch i mewn.’

Mae’r plismon yn mynd i’r tŷ ac yn eistedd ar y soffa fach yn yr ystafell fyw. ‘Gymerwch chi baned o de?’

‘Dim diolch.’

'Mae gen i fisgedi *digestives* yn y **cwpwrdd** ...'

'Dim diolch. Fe ges i baned cyn dod allan.'

Mae Dora'n eistedd ar y gadair, ac yn **ysgwyd** ei phen. 'Mae'n siŵr fod Sioned yn poeni'n ofnadwy.'

'Wel, fel arfer mae rhywun yn gadael ar ôl **ffrae**,' meddai'r plismon. 'Ond mae Sioned yn dweud dydy hynny ddim wedi digwydd. O, ac un peth arall – wnaeth Dewi ddim mynd i'r gwaith ddoe, ond wnaeth o ddim ffonio i ddweud ei fod o'n sâl.'

'O!' meddai Dora. 'Gobeithio ei fod o'n iawn. Mae'n ddyn ifanc annwyl iawn.'

Mae'r plismon yn nodio, ac yn ysgrifennu rhywbeth i lawr yn ei lyfr bach. 'Dyna mae pawb yn ei ddweud.'

cwpwrdd – *cupboard*

ysgwyd – *to shake*

ffrae – *quarrel*

'Mae'n **wir**,' meddai Dora. 'Fo ydy'r un sy'n helpu pawb. Pethau fel rhoi'r **bin sbwriel** allan yn y nos, a chwilio am y gath pan mae hi ar goll.'

Dydy Dora ddim yn dweud wrth y plismon ei bod hi'n **casáu** Dewi am wneud y pethau yna. Mae Dora'n casáu pan mae pobl yn ei **thrin** hi fel dynes dwp dim ond am ei bod hi'n hen. Mae hi'n gallu rhoi'r bin sbwriel allan heb help neb, a doedd hi ddim isio i Dewi fynd i chwilio am y gath, chwaith. Mae o'n siŵr o gnocio ar ddrysau a dweud, 'Mae 'na hen wraig wedi colli ei chath ...' Roedd meddwl am hynny'n gwneud Dora yn flin iawn.

'Oes 'na rywbeth rydych chi'n meddwl sy isio i'r heddlu wybod am Dewi?' wnaeth y plismon ofyn wedyn. 'Neu am Sioned? Dw i'n gwybod fod hyn yn anodd, ond mae'n bwysig fod yr heddlu'n deall popeth.'

Wnaeth Dora ysgwyd ei phen. 'Pâr ifanc hyfryd iawn. Maen nhw'n **eitha preifat**.'

Wnaeth y plismon godi cyn gadael, a wnaeth o roi cerdyn bach gyda'i enw a'i rif ffôn ar y bwrdd coffi. 'Dyma fy rhif i os dych chi'n cofio unrhyw beth. Diolch i chi.'

Roedd Dora yn gwylio drwy'r ffenest wrth i'r plismon fynd

gwir – *true*

bin sbwriel – *rubbish bin*

casáu – *to hate*

trin – *to treat*

eitha preifat – *quite private*

yn ôl i'w gar a gyrru i ffwrdd. Roedd popeth yn dawel ar Stryd y Bont. *Dw i'n un dda am ddweud* ***celwydd, diolch byth***, dyna beth roedd Dora yn feddwl cyn mynd i wneud paned.

celwydd – *a lie*

diolch byth – *thank goodness*

Rhif 4, Stryd y Bont
Steff

Nos Sadwrn, 11.35pm

Mae Steff **wedi meddwi**.

Mae'n **baglu** i mewn i'r tŷ am hanner awr wedi un ar ddeg. Mae o wedi bod yn yfed **ers** hanner awr wedi pump, ac roedd hynny heb fwyta dim drwy'r dydd. Gaeth o gyrri ar y ffordd adre, ond mae'n gwybod ei fod o'n mynd i fod yn sâl cyn mynd i gysgu.

Mae'r tŷ yn oer, ac mae llanast yn y gegin. Wnaeth Steff ddim **clirio** ei lestri brecwast y bore 'ma. Mae hanner paned o goffi yn oer ar ganol y bwrdd, a briwsion tost hefyd. Mae Steff yn mynd at y sinc, ac yn yfed peint o ddŵr. Mae ei ben o'n troi, a **blas** y cwrw ar ei **dafod** o hyd.

wedi meddwi – *drunk*
baglu – *to trip, to stagger*
ers – *since*

clirio – *to clear*
blas – *taste*
tafod – *tongue*

Mae o **wedi hen arfer**.

Ond mae Steff yn poeni.

Mae'n ddyn ifanc, 28 mlwydd oed, ac mae'n ddyn **poblogaidd**. Fel arfer, bydd o'n mynd i'r ganolfan hamdden ar ôl gwaith, ac felly mae ganddo **gorff** mawr, sgwâr. Ond mae o wedi dechrau newid. Ers i Jasmine adael efo'r plant, mae o'n yfed fel hyn bron bob nos, ac yn **cymryd tabledi ddylai** o ddim eu cymryd. Mae o wedi colli ei arian i gyd hefyd, ac yn poeni ei fod o'n cael **cyfnodau** ble dydy o'n cofio dim. Mae o'n gwybod bod rhywun ar ei ôl o am arian.

Pan ddaeth y plismon at y drws i ofyn am Dewi a Sioned, doedd Steff ddim yn eu nabod nhw, meddai, dim ond i ddweud 'helô'.

Celwydd oedd hynny.

Pan oedd y plismon yma, roedd Steff yn poeni, achos roedd o'n gwybod fod 'na un peth yn ei dŷ yn **profi** ei fod o'n dweud celwydd. Roedd y peth yna yn ei beiriant golchi, a hwnnw'n troi a throi ar *fast spin* wrth i'r plismon siarad.

Mae Steff yn mynd at y peiriant golchi, ac yn **ymestyn** am y peth. Crys-T, un gwyn gyda **stribedyn** coch i lawr y canol.

wedi hen arfer – *well used to*

poblogaidd – *popular*

corff – *body*

cymryd tabledi – *to take tablets*

dylai – *should*

cyfnod(au) – *period(s)*

cofio dim – *to have no recollection*

profi – *to prove*

ymestyn – *to reach out*

stribedyn – *strip*

Mae'n wlyb, ond mae Steff yn ei **arogli** i weld ydy o'n lân.

Ac yna, mae Steff yn codi'n sydyn, a **chwydu** cwrw a chyrri i mewn i'r sinc.

arogli – *to smell*

chwydu – *to vomit*

Rhif 5, Stryd y Bont
Ela a Mari

Dydd Sul, 2.05pm

Mae Ela a Mari wedi blino'n lân.

Mae'r tŷ yn llawn anrhegion. Bocsys a bagiau **sgleiniog** heb eu hagor, a mynydd mawr o gardiau ar y bwrdd coffi. Wrth y drws, mae bagiau Ela a Mari. Daeth y ddwy i mewn am hanner awr wedi tri neithiwr ar ôl taith hir o'r **maes awyr**.

'Wyt ti isio coffi?' meddai Mari. Dim ond newydd godi mae'r ddwy.

'Te, plis,' meddai Ela.

'Syniad da! Dydy'r te yn Awstralia ddim y dda, ydy o?' Mae'r ddwy yn gwenu ar **ei gilydd**. Roedd eu **mis mêl** yn Sydney

sgleiniog – *shiny*
maes awyr – *airport*
ei gilydd – *each other*
mis mêl – *honeymoon*

CROESO N

wedi bod yn fendigedig.

Wrth i Mari wneud y te, mae Ela'n edrych drwy'r post. Llawer o gardiau **priodas**, ac **ambell** lythyr hefyd. 'Mae 'na neges yma gan Sioned,' meddai Ela.

'Sioned o Rif 1?'

'Ia.'

'Sioned a Dewi?'

Mae Ela yn ysgwyd ei phen. '**Bobol bach**! Mae hi'n gofyn ydan ni wedi gweld Dewi o gwbl. Mae o ar goll.'

Mae Ela a Mari'n edrych ar ei gilydd. Does neb yn dweud dim am dipyn.

'Wyt ti'n cofio ...?' meddai Mari. Mae Ela'n nodio'i phen. 'Well i ni ddweud wrth Sioned?'

'Na!' meddai Ela'n **bendant**. 'Dydy o ddim yn **fusnes** i ni. Ac roedd hynny wythnosau yn ôl, cyn i ni briodi. Mae'n siŵr ei fod o'n ddim byd i'w wneud efo Dewi'n mynd ar goll.'

Mae Mari'n dod â phot o de a dwy gwpan at y bwrdd coffi. Mae'n rhoi **sws sydyn** i ben ei gwraig. 'Ti sy'n iawn, mae'n siŵr. Mae'n well i ni gadw'n dawel.'

Ond wrth yfed eu paned, mae'r ddwy'n teimlo'n **anghysurus**.

priodas – *wedding, marriage*

ambell – *a few*

bobol bach! – *an exclamation*

pendant – *assertive*

busnes – *business*

sws – *kiss*

sydyn – *quick, sudden*

anghysurus – *uncomfortable*

'Wyt ti'n meddwl bod Elis wedi dweud wrth yr heddlu am y ffrae?' meddai Mari wedyn.

'Ydy, mae'n siŵr. Paid â phoeni. Dw i'n siŵr bod Dewi'n iawn.'

Mae'r ddwy yn cofio rhywbeth wythnosau yn ôl, pan oedden nhw'n cerdded yn ôl adre ar ôl noson allan. Ela oedd y gyntaf i weld y ffrae. Roedd Dewi ac Elis yn **sefyll** ar **gornel** y stryd dan y lamp, a'r ddau'n **gweiddi** ar ei gilydd.

'Pam wyt ti wedi gwneud peth mor wirion?' meddai Dewi yn flin. Roedd ofn ar Elis.

'Wnes i ddim meddwl ...'

'Blydi hel, Elis!'

A dyna pryd wnaeth y ddau ddyn weld Ela a Mari, a gwenu'n **ffals**.

'Popeth yn iawn?' wnaeth Mari ofyn.

'Ydy! Cael **sgwrs** am ... am **sŵn**.' Roedd hi'n amlwg fod Dewi'n dweud celwydd.

'Am sŵn?' wnaeth Ela ofyn wedyn.

'Ia ... Ym ... Mae Llew, fy **hogyn** bach i, yn gwneud gormod o sŵn yn y bore,' meddai Elis.

sefyll – *to stand*

cornel – *corner*

gweiddi – *to shout*

ffals – *false*

sgwrs – *conversation*

sŵn – *noise*

hogyn – *boy*

Ond roedd hi'n **glir** iawn i Mari ac Ela fod hyn yn fwy na ffrae am sŵn hogyn bach.

'Ti'n siŵr dan ni ddim isio sôn wrth Sioned am y ffrae rhwng Elis a Dewi?' meddai Ela.

---

clir – *clear*

'Gwell peidio,' meddai Mari. 'Gwell gadael i bopeth fod.' Wnaeth y ddwy droi'n ôl at eu paned.

gwell peidio – *better not*

Rhif 1, Stryd y Bont
Dewi

Dydd Gwener, 9.12am

Mae Dewi wedi cael brecwast, wedi gwisgo ei **siwt**, wedi rhoi sws i Sioned ac wedi gadael. Mae o wedi aros ar y **llwybr** bach wrth ymyl y tŷ ac wedi gwylio Sioned yn gadael hefyd. Mae hi'n meddwl ei fod o wedi mynd i'r gwaith, ond dydy o ddim. Mae ganddo fusnes i'w **sortio** bore 'ma.

Dydy o ddim yn mynd adre, ond mae o'n **curo** ar ddrws Rhif 2. Does neb yn ateb, felly mae'n curo eto. Mae Elis yn dod i ateb y drws, ei wyneb o'n wyn.

'Paid â gwneud sŵn!' meddai Elis.

'Dyna'r **unig** ffordd o dy gael di i ateb y drws,' meddai Dewi,

siwt – *suit*

llwybr – *path*

sortio – *to sort*

curo – *to knock*

unig – *only*

gan **wthio**'i ffordd i mewn i'r tŷ. Mae'n gwybod ei fod o'n dychryn Elis, ond does ganddo fo ddim **dewis**. 'Ble mae'r arian?'

'Rydw i angen mwy o amser,' meddai Elis yn **nerfus**. 'Mae Meg yn cael ei thalu wythnos nesa ...'

'Rydw i wedi clywed hyn **o'r blaen**,' meddai Dewi. 'A rydw i wedi cael digon, Elis.'

'Plis, Dewi! Plis!'

Mae Dewi'n dod yn fwy agos at Elis, a dyna pryd mae o'n digwydd. Mae Elis yn clywed y sŵn **cracio**, ac yn gwylio Dewi yn **llonydd am eiliad**. Yna mae Dewi'n **syrthio** i'r llawr.

Mae Llew yn sefyll y tu ôl iddo.

Dim ond pump oed ydy Llew, ac mae arno fo ofn y dyn drws nesa sy'n dod draw i weiddi ar Dad pan mae Mam yn y gwaith. Mae Llew wedi aros adre o'r ysgol, wedi dweud fod ganddo fo gur pen. A phan wnaeth o glywed Dewi'n dod i mewn yn flin, roedd wedi ymestyn i'r bocs tŵls am y **morthwyl** mawr.

Mae Dewi'n dawel nawr.

'Be wnest ti?!' meddai Elis. 'Llew! Be wnest ti?'

'Roedd o'n gweiddi arnoch chi.'

gwthio – *to shove*

dewis – *choice*

nerfus – *nervous*

o'r blaen – *before, previously*

cracio – *to crack*

llonydd – *still, motionless*

am eiliad – *for a second*

syrthio – *to fall*

morthwyl – *hammer*

‘Ond fedri di ddim **lladd** pobl!’

‘Roedd o’n ddyn drwg!’

Roedd o’n ddyn drwg. Dim ‘*Mae* o’n ddyn drwg’. Mae Llew yn iawn. Mae Dewi wedi **marw**. Ac roedd o’n ddyn drwg, hefyd, er bod Sioned yn meddwl ei fod o’n ddyn normal. Doedd hi ddim yn gwybod ei fod o’n **benthyg** arian i bobl.

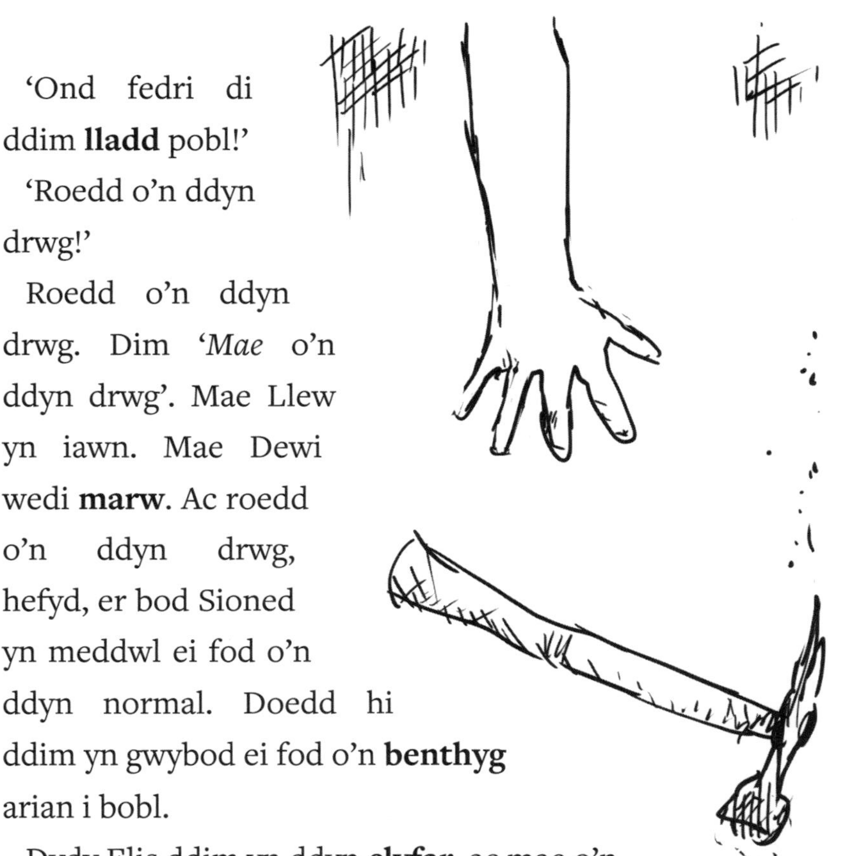

Dydy Elis ddim yn ddyn **clyfar**, ac mae o’n gwneud peth gwirion. Y cyfan mae’n gallu meddwl ydy sut i **gael gwared ar** gorff Dewi, ac felly mae o’n gweithio’n sydyn. Mae’n codi Dewi o’r llawr, ac yn ei gario fo allan drwy ddrws y cefn. Mae’n mynd allan i’r ardd a thrwy’r **giât**, ac allan

lladd – *to kill*	**clyfar** – *clever, intelligent*
marw – *to die; dead*	**cael gwared ar** – *to get rid of*
benthyg – *to lend; to borrow*	**giât** – *gate*

i'r llwybr y tu ôl i Stryd y Bont. Mae corff Dewi'n **drwm**, a dydy Elis ddim yn mynd yn bell. Mae'n cyrraedd giât gefn Rhif 4 – tŷ Steff – ac yn gadael y corff ar lawr. Mae'n mynd adre yn meddwl bydd yr heddlu'n meddwl fod rhywun wedi **ymosod ar** Dewi ar y llwybr.

Mae'n mynd adre ac yn glanhau'r gwaed ar y llawr, ac yn gwneud i Llew **addo** anghofio popeth.

Yna, mae rhywbeth arall yn digwydd. Mae Steff yn dod allan o'i dŷ i gerdded i'r gwaith ar hyd y llwybr cefn. Mae o'n gweld corff marw Dewi ar y llwybr, ac yn gweiddi. Mae o'n chwydu, achos dydy Steff ddim wedi gweld corff marw o'r blaen, ac mae Steff mewn **dyled** i Dewi hefyd. A dydy o'n cofio dim am ddod adre **y noson gynt** – roedd o wedi meddwi gormod.

Mae'n rhaid mai fi sy wedi lladd Dewi, mae Steff yn meddwl mewn panig. *Mae'n rhaid ei fod o wedi dod i nôl ei arian, a 'mod i wedi ei ladd o.* Mae o'n **llusgo**'r corff i'r **sied** gefn; mae panig yn llenwi ei gorff. Erbyn iddo **guddio**'r corff rhwng yr hen dŵls a'r llanast arall, mae ei grys-T gwyn gyda stribedyn coch yn waed i gyd.

Yn y bore, mae Steff yn rhoi Dewi mewn hen fag sbwriel

---

trwm – *heavy*

ymosod ar – *to attack*

addo – *to promise*

dyled – *debt*

y noson gynt – *the previous night*

llusgo – *to drag*

sied – *shed*

cuddio – *to hide*

plastig, yn ei yrru i goedwig ac yn ei **gladdu**'n **ddwfn**, ddwfn. Dydy o ddim yn gwybod fod Dora o Rif 3 wedi gweld popeth, ac wedi mynd i'r sied a **dwyn waled** Dewi o'i siwt. Bydd Dora'n gwario'r arian – bron i £50 – ar **bryd crand** iawn **o fwyd**.

Pan fydd Dora yn marw yn hen, hen wraig, mewn naw mlynedd, bydd ei theulu'n dychryn o **ddarganfod** waled y dyn **caredig** aeth ar goll **ers talwm** ar Stryd y Bont. Wedyn, bydd yr heddlu'n meddwl bod Dora wedi lladd Dewi, a does neb ar ôl sy'n gwybod y gwir.

claddu – *to bury*

dwfn – *deep*

dwyn – *to steal*

waled – *wallet*

pryd crand o fwyd – *a grand meal*

darganfod – *to discover*

caredig – *kind*

ers talwm – *a long time ago*

GEIRFA

addo – *to promise*
anghysurus – *uncomfortable*
am eiliad – *for a second*
ambell – *a few*
amheus – *suspicious*
anfon – *to send*
ar ei ôl o – *after him*
ar goll – *lost, missing*
ar ôl – *after*
arogli – *to smell*

baglu – *to trip, to stagger*
barf – *beard*
be sy'n bod? – *what's wrong?*
benthyg – *to lend; to borrow*
bin sbwriel – *rubbish bin*
blas – *taste*
bobol bach! – *an exclamation*
briwsion – *crumbs*
busnes – *business*

cael gwared ar – *to get rid of*
cael llond bol – *to be fed up*
caredig – *kind*
casáu – *to hate*
celwydd – *a lie*
claddu – *to bury*
clir – *clear*
clirio – *to clear*
clyfar – *clever, intelligent*
coedwig – *forest, woods*
cofio dim – *to have no recollection*
corff – *body*
cornel – *corner*
cracio – *to crack*
crand – *grand, posh*
cuddio – *to hide*
curo – *to knock*
cwpwrdd – *cupboard*
cyfnod(au) – *period(s)*
cymryd tabledi – *to take tablets*

chwilio – *to search*
chwydu – *to vomit*

dal – *still*
darganfod – *to discover*
dewis – *choice*

diolch byth – *thank goodness*
dwfn – *deep*
dwyn – *to steal*
dychryn – *to be frightened, to frighten*
dylai – *should*
dyled – *debt*

ei gilydd – *each other*
eitha preifat – *quite private*
erbyn – *by (the time)*
ers – *since*
ers talwm – *a long time ago*

ffals – *false*
fflachio – *to flash*
ffrae – *quarrel*

giât – *gate*
glân – *clean*
gwaed – *blood*
gwaith (gweithiau) – *time(s)*
gwastraffu – *to waste*
gweiddi – *to shout*
gwell – *better*
gwell peidio – *better not*
gwir – *true*
gwisgo – *to wear*
gwthio – *to shove*

hoff – *favourite*
hogyn – *boy*

i fod – *supposed to be*

lladd – *to kill*
llanast – *mess*
llonydd – *still, motionless*
llusgo – *to drag*
llwybr – *path*

maes awyr – *airport*
marw – *to die; dead*
meddai – *says, said*
mis mêl – *honeymoon*
morthwyl – *hammer*

neges – *message*
nerfus – *nervous*
newid – *to change*

o hyd – *all the time*
o'r blaen – *before, previously*

peiriant ateb – *answering machine*
pendant – *assertive*
pen-ôl – *bum*
poblogaidd – *popular*
priodas – *wedding, marriage*
profi – *to prove*
pryd crand o fwyd – *a grand meal*

sefyll – *to stand*
sgleiniog – *shiny*
sgwrs – *conversation*
sied – *shed*
siwt – *suit*
sortio – *to sort*
stribedyn – *strip*
sŵn – *noise*
sws – *kiss*
sychu – *to dry*
sydyn – *quick, sudden*
syrthio – *to fall*

tafod – *tongue*
tawel – *quiet*
tegell – *kettle*
trin – *to treat*
trwm – *heavy*
tywyll – *dark*

unig – *only*

waled – *wallet*
wedi blino'n lân – *extremely tired*
wedi hen arfer – *well used to*
wedi meddwi – *drunk*

ymestyn – *to reach out*
ymosod ar – *to attack*
yn debyg i – *like, similar to*
y noson gynt – *the previous night*
yn sydyn – *suddenly*
ysgwyd – *to shake*

Hefyd yn y gyfres ...

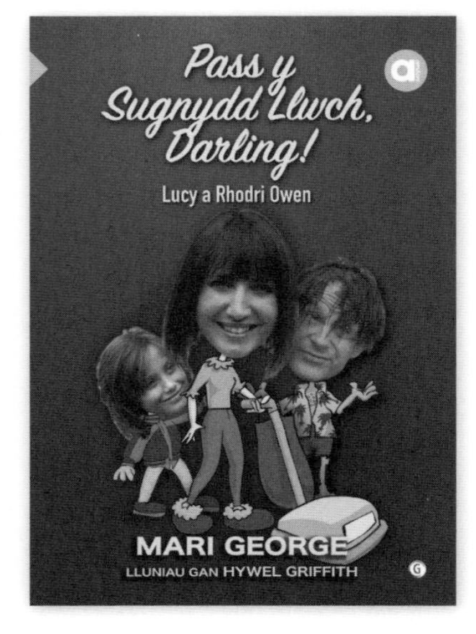